KÖNEMANN

sommaire

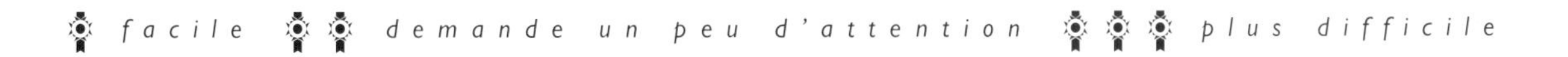

Soupe à l'oignon gratinée

Soupe d'hiver par excellence, elle est le symbole d'une convivialité simple et chaleureuse. Proposer une soupe à l'oignon déchaîne toujours l'enthousiasme et, dans certains bistrots, la gratinée est devenue un plat chic.

Préparation **20 minutes**
Cuisson **1 heure 5 minutes**
Pour 6 personnes

45 g de beurre
1 petit oignon rouge, finement émincé
400 g d'oignons blancs, finement émincés
1 gousse d'ail, finement hachée
25 g de farine
200 ml de vin blanc sec
1,5 litre de bouillon de bœuf (voir page 63) ou d'eau
Bouquet garni (voir page 63)
1 cuiller à soupe de xérès

CROÛTONS
12 tranches de pain (baguette)
200 g de gruyère, finement râpé

1 Faites fondre le beurre à feu modéré dans une grande casserole à fond épais. Ajoutez les oignons et faites-les revenir pendant 20 minutes en les remuant souvent, jusqu'à ce qu'ils aient pris une belle couleur brun doré. Cette étape est très importante, car c'est la caramélisation des oignons qui donnera sa teinte brune à la soupe. Ajoutez l'ail et la farine, en remuant sans arrêt pendant 1 à 2 minutes.

2 Incorporez le vin blanc et remuez jusqu'à ce que la farine soit absorbée en un mélange onctueux. Portez lentement à ébullition, sans cesser de remuer. Versez rapidement le bouillon ou l'eau, ajoutez le bouquet garni et assaisonnez de sel et de poivre noir du moulin. Laissez bouillonner 30 minutes, puis écumez la surface pour en retirer les résidus un peu gras, si nécessaire. Ajoutez le xérès et rectifiez l'assaisonnement à votre goût.

3 Pour faire les croûtons, grillez les tranches de baguette jusqu'à ce qu'elles soient sèches et dorées des deux côtés.

4 Servez la soupe dans des bols bien chauds et faites flotter les croûtons sur la soupe. Saupoudrez de gruyère râpé et placez les bols sous le grill préchauffé de votre four, jusqu'à ce que le fromage soit fondu et qu'il ait pris une belle couleur foncée. Servez aussitôt la soupe gratinée, très chaude.

Conseil du chef La farine peut être supprimée si vous désirez obtenir une consistance plus fluide.

Velouté de poireaux à la crème d'orange

Une version raffinée de la soupe de poireaux et de pommes de terre, rehaussée par une crème à l'orange parfumée au Cointreau et gratinée. Succulent.

Préparation ***30 minutes***
Cuisson ***55 minutes***
Pour 4 personnes

30 g de beurre
500 g de blancs de poireaux, finement émincés
250 g de pommes de terre, coupées en fines rondelles
1 litre de bouillon de volaille (voir page 62)
300 ml de crème liquide
Zeste finement râpé d'1 orange non traitée
1 cuiller à soupe de Cointreau
200 ml de crème liquide, à fouetter
Feuilles de cerfeuil frais, pour décorer

1 Faites fondre le beurre dans un grand faitout à feu très doux. Ajoutez les poireaux émincés et une pincée de sel et faites-les revenir très doucement pendant 10 minutes, jusqu'à ce qu'ils soient tendres.
2 Ajoutez les pommes de terre et cuisez-les 3 minutes avec les poireaux avant de verser le bouillon. Portez à ébullition et faites frémir 20 minutes. Ajoutez la crème et poursuivez la cuisson 10 minutes. Broyez la soupe à l'aide d'un mixeur, jusqu'à ce qu'elle ait pris une consistance onctueuse et dense. Assaisonnez de sel et de poivre noir. Réservez au chaud.
3 Préchauffez le grill et mélangez le zeste d'orange avec le Cointreau dans un bol. Dans un autre bol, fouettez la crème jusqu'à ce qu'elle devienne mousseuse et épaisse. Incorporez le mélange d'orange et de Cointreau dans la crème fouettée.
4 Versez la soupe dans des bols et garnissez-les d'une cuillerée de crème fouettée à l'orange. Placez les bols sous le grill jusqu'à ce que la crème soit gratinée. Décorez de quelques feuilles de cerfeuil frais et saupoudrez de poivre noir du moulin avant de servir.

Soupe de fruits de mer au citron

La note rafraîchissante du citron s'accorde à merveille avec le goût profond des fruits de mer. Un plat tout élégance et raffinement.

Préparation ***25 minutes***
Cuisson ***20 minutes***
Pour 6 à 8 personnes

400 g de coques
500 g de petites moules
400 g de palourdes
100 ml de vin blanc sec
3 échalotes, finement hachées
6 noix de coquilles Saint-Jacques
2 petits encornets (demandez à votre poissonnier de vous les apprêter pour la cuisson)
300 ml de fumet de poisson (voir page 62)
100 ml de crème liquide
20 g de beurre rafraîchi, coupé en petits dés
1 petite carotte, coupée en julienne (voir Conseil du chef)
1 tige de céleri, coupée en julienne
1/2 poireau, coupé en julienne
100 g de petites crevettes cuites, décortiquées
Zeste râpé d'1 citron non traité
Persil ou cerfeuil haché pour décorer

1 Lavez à grande eau, deux fois, les coques, les moules et les palourdes (attention : les coques sont encore plus sableuses que les moules et les palourdes). Plongez ces coquillages dans un grand faitout avec le vin et les échalotes et portez lentement à ébullition. Laissez sur le feu 2 à 3 minutes, jusqu'à ce que toutes les coquilles soient ouvertes. Sortez les coquillages avec une écumoire, détachez leur chair des coquilles et réservez. Il se peut que vous ayez à rincer les coques une nouvelle fois.

2 Faites pocher les noix de Saint-Jacques 1 à 3 minutes dans le jus de cuisson, puis retirez-les et coupez-les en petits dés. Coupez les encornets en petits dés et faites-les frire dans un peu d'huile chaude. Essuyez-les en les posant sur plusieurs épaisseurs de papier absorbant. Réservez.

3 Versez le liquide de cuisson des fruits de mer dans une casserole. Incorporez le fumet de poisson et la crème liquide. Faites bouillir à feu vif 3 à 5 minutes, jusqu'à l'obtention d'une sauce très liquide. Filtrez cette sauce, puis incorporez le beurre et remuez le récipient jusqu'à ce que le beurre soit absorbé.

4 Cuisez la carotte, le céleri et le poireau 3 à 4 minutes dans de l'eau bouillante salée. Égouttez-les, passez-les dans l'eau froide pour arrêter la cuisson, égouttez-les à nouveau et unissez ces légumes aux fruits de mer avec les crevettes, dans la sauce bien chaude. Mélangez le tout avec le zeste de citron et vérifiez l'assaisonnement. Rajoutez un peu de zeste râpé si nécessaire.

5 Servez la soupe parsemée de persil ou de cerfeuil haché.

Conseil du chef Les légumes en julienne sont coupés en fins bâtonnets de même taille, comme des allumettes.

Potage à la du Barry

Cette crème de chou-fleur, comme de nombreux plats à base de chou-fleur, porte le nom de la favorite de Louis XV, la comtesse du Barry.

Préparation ***25 minutes***
Cuisson ***35 minutes***
Pour 4 personnes

300 g de chou-fleur, haché
15 g de beurre
1 petit oignon, finement haché
1 petit blanc de poireau, finement émincé
15 g de farine
750 ml de lait

GARNITURE
90 g de petits bouquets de chou-fleur
100 g de beurre clarifié (voir page 63) ou 100 ml d'huile
4 tranches de pain, coupées en dés
50 ml de crème liquide, à fouetter
Cerfeuil frais, haché, pour décorer

1 Mettez le chou-fleur dans une grande casserole avec 100 ml d'eau. Si le chou-fleur n'est pas complètement recouvert par l'eau, ajoutez un peu de lait. Portez à ébullition, puis baissez le feu et laissez bouillonner 7 minutes. En vous servant d'un presse-purée ou d'un mixeur, broyez le chou-fleur avec le liquide de cuisson, jusqu'à ce que vous obteniez une purée légère, d'une consistance onctueuse.

2 Dans une casserole moyenne, faites fondre le beurre à feu doux. Ajoutez l'oignon et le poireau et couvrez avec une feuille de papier sulfurisé ou un couvercle. Faites cuire 5 minutes, jusqu'à ce que les légumes soient tendres, mais non rissolés. Ajoutez la farine et cuisez encore 1 minute au moins, en remuant continuellement, jusqu'à ce que poireau et oignon se colorent à peine. Hors du feu, incorporez le lait jusqu'à ce que le mélange soit onctueux, puis remettez la casserole sur le feu et portez à ébullition, sans cesser de remuer. Ajoutez la purée de chou-fleur et assaisonnez-la. Retirez du feu et réservez.

3 Pour faire la garniture, plongez les bouquets de chou-fleur dans une petite casserole remplie d'eau bouillante salée et faites-les blanchir environ 2 minutes. Rafraîchissez les bouquets sous l'eau froide puis égouttez-les bien. Réservez.

4 Chauffez à feu vif le beurre clarifié ou l'huile pour y faire frire les croûtons de pain. Quand ils sont dorés, égouttez-les sur du papier absorbant. Saupoudrez-les de sel pendant qu'ils sont encore chauds, afin qu'ils restent croustillants.

5 Servez la soupe réchauffée et assaisonnée dans des bols. Si la soupe est trop épaisse, ajoutez de la crème dans chaque bol en la battant chaque fois légèrement pour qu'elle forme de jolies spirales en surface. Décorez les bols avec les bouquets de chou-fleur, le cerfeuil et les croûtons grillés.

Minestrone

Voici la version originale d'un grand classique de la cuisine italienne. Le minestrone peut être enrichi avec des pâtes de petite taille ou des haricots blancs. On le sert avec une quantité généreuse de parmesan râpé.

Préparation **20 minutes + 1 nuit de trempage des haricots**
Cuisson **1 heure 30 minutes**
Pour 6 personnes

40 g de haricots blancs secs
1,5 litre de bouillon de volaille (voir page 62)
35 g de beurre
1 oignon, émincé
2 carottes, coupées en petits dés
2 tiges de céleri, émincées
2 blancs de poireaux, finement émincés
1 cuiller à soupe de concentré de tomate
2 tranches de bacon fumé ou de pancetta, coupées en petits dés
2 gousses d'ail, écrasées
Bouquet garni (voir page 63)
250 g de chou vert, grossièrement haché
50 g de petits pois, écossés
100 g de parmesan, fraîchement râpé

1 Faites tremper une nuit les haricots secs dans un saladier, rempli du double de leur volume d'eau froide. Égouttez-les puis rincez-les à l'eau courante froide. Faites chauffer le bouillon de volaille dans un grand faitout, ajoutez les haricots égouttés et portez lentement à ébullition à feu moyen. Faites cuire les haricots pendant 45 minutes, en écumant souvent la surface du bouillon.

2 Dans une grande cocotte, faites fondre le beurre à feu doux. Ajoutez l'oignon, les carottes, les céleris et les poireaux et faites-les revenir doucement pendant 10 minutes, sans leur faire prendre couleur. Incorporez le concentré de tomate, mélangez-le bien et continuez la cuisson 1 à 2 minutes, sans cesser de remuer pour que les légumes, qui doivent être juste tendres, ne brûlent pas. Ajoutez le bacon, l'ail et le bouquet garni.

3 Versez les haricots et leur jus de cuisson dans la cocotte des légumes, mélangez bien le tout en remuant. Salez, poivrez à votre goût. Laissez frémir la soupe pendant 20 minutes, ajoutez le chou et cuisez-le jusqu'à ce qu'il soit tendre. Incorporez les petits pois et prolongez la cuisson de 5 minutes. Retirez le bouquet garni et vérifiez l'assaisonnement.

4 Répartissez le minestrone dans des bols. Servez avec le parmesan râpé à disposition sur la table.

Conseil du chef Le minestrone est un plat consistant mais la quantité de liquide doit être suffisante pour qu'il soit vraiment une soupe et non un plat de légumes. Ajoutez du bouillon, le cas échéant, pendant la cuisson.

Velouté de tomate

Ce potage sera bien meilleur avec des tomates de saison, parfaitement mûres. Le goût et l'onctuosité du velouté en font un vrai nectar.

Préparation **15 minutes**
Cuisson **35 minutes**
Pour 6 personnes

1 cuiller à soupe 1/2 d'huile d'olive
1 oignon, émincé
2 gousses d'ail, hachées
Feuilles de 3 grosses tiges de basilic
1 brin de thym frais
1 feuille de laurier
2 cuillers à soupe de concentré de tomate
1 kg de tomates bien mûres, coupées en morceaux
Pincée de sucre
250 ml de bouillon de volaille (voir page 62)
100 ml de crème liquide
Feuilles de basilic, coupées en fines lanières pour décorer

1 Dans une casserole, faites chauffer l'huile et faites doucement revenir l'oignon sans lui faire prendre couleur.
2 Ajoutez l'ail, le basilic, le thym, le laurier, le concentré de tomate et les tomates. Assaisonnez de sucre, de sel et de poivre noir. Incorporez le bouillon de volaille et portez à ébullition. Réduisez le feu, couvrez et laissez frémir pendant 15 minutes. Retirez la feuille de laurier.
3 Broyez la soupe avec un presse-purée ou avec un mixeur puis filtrez-la au travers d'une passoire très fine. Versez dans la casserole le velouté obtenu, incorporez la crème liquide et réchauffez doucement. Vérifiez l'assaisonnement.
4 Servez dans des bols ou dans une grande soupière, parsemez le velouté de tomate avec les feuilles de basilic coupées en fines lanières.

Conseil du chef Hors saison, préférez les tomates pelées en conserve aux tomates importées, mûries dans des serres et qui n'ont, la plupart du temps, pas le moindre goût.

Soupe marinière

Voici un délicieux velouté de moules parfumé au safran.
Sa saveur délicate est rehaussée par le fumet de poisson et la sauce au vin blanc.

Préparation ***35 minutes***
Cuisson ***30 minutes***
Pour 4 personnes

1,25 kg de moules
50 g de beurre
1 tige de céleri, finement hachée
4 échalotes, finement émincées
30 g de persil frais, haché
300 ml de vin blanc sec
300 ml de fumet de poisson (voir page 62)
350 ml de crème liquide
2 grosses pincées de stigmates de safran
20 g de farine
40 g de beurre rafraîchi, coupé en dés
2 jaunes d'œufs
Feuilles de cerfeuil frais, pour décorer

1 Frottez les moules avec une petite brosse. À l'aide d'un couteau émoussé, grattez les coquilles et arrachez les filaments qui en dépassent. Jetez celles qui restent ouvertes quand on les frappe légèrement. Rincez les moules plusieurs fois.
2 Faites fondre 30 g de beurre dans une grande cocotte et faites revenir doucement le céleri et les échalotes sans les faire brunir. Ajoutez les moules, le persil et le vin blanc. Couvrez et laissez bouillonner 4 minutes, jusqu'à ce que les moules soient ouvertes. Sortez les moules de la cocotte et réservez le liquide de cuisson. Jetez les moules qui sont restées fermées et détachez celles dont les coquilles sont bien ouvertes.
3 Filtrez le liquide de cuisson et faites-le réduire de moitié à feu doux. Ajoutez le fumet de poisson et 300 ml de crème liquide. Attendez les premiers bouillons avant d'incorporer le safran. Poivrez à volonté. Liez les 20 g de beurre restant avec la farine dans un bol, puis versez le mélange dans la soupe en le battant au fouet. Faites bouillonner la soupe pour que la farine cuise, puis ajoutez les dés de beurre froid. Remuez la cocotte jusqu'à ce que le beurre ait complètement fondu dans la soupe.
4 Dans un bol, battez les jaunes d'œufs avec le reste de crème liquide, délayez avec un peu de soupe chaude puis reversez le tout dans la soupe. Ne faites pas bouillir, sinon les jaunes d'œufs durcissent en cuisant et se séparent en petits morceaux.
5 Réchauffez les moules réservées dans la soupe. Servez en décorant les assiettes avec des feuilles de cerfeuil frais.

Conseil du chef Les moules doivent être vivantes quand on les cuisine. En aucun cas il ne faut garder une moule restée ouverte avant la cuisson, car elle est morte.

Soupe écossaise

Cette soupe réconfortante est parfois présentée en deux plats : d'abord le bouillon, puis la viande bien tendre qui y a mijoté. Dans la tradition écossaise, c'est un plat à base de mouton, mais on le cuisine le plus souvent avec de l'agneau.

Préparation ***30 minutes + 1 à 2 heures de trempage***
Cuisson ***1 heure 30 minutes***
Pour 4 personnes

30 g d'orge
400 g de collier de mouton ou d'agneau, désossé (demandez à votre boucher de vous le préparer)
30 g de beurre
1 petite carotte, coupée en petits dés
1/2 petit navet, coupé en petits dés
1 petit poireau, coupé en petits dés
1/2 petit oignon, coupé en petits dés
60 g de petits pois surgelés
30 g de persil frais, haché

1 Faites tremper l'orge pendant 1 à 2 heures dans un bol rempli d'eau froide. Égouttez-le et rincez-le sous l'eau courante froide. Faites cuire l'orge dans une casserole d'eau bouillante pendant 15 minutes, jusqu'à ce que les grains soient tendres. Égouttez et réservez.

2 Enlevez toutes les parties grasses de la viande et découpez-la en petits dés. Remplissez à moitié d'eau salée une casserole de taille moyenne. Portez l'eau à ébullition, plongez-y l'agneau et faites-le blanchir pendant 2 minutes. Égouttez puis rincez les morceaux dans un saladier d'eau froide. Ce procédé permet d'obtenir une soupe claire et d'éliminer toute la graisse. Rincez la casserole, remplissez-la à moitié d'eau salée et portez à ébullition. Ajoutez les morceaux de viande, réduisez le feu et cuisez-les de 30 à 40 minutes, jusqu'à ce qu'ils soient tendres. Égouttez-les puis réservez-les. Mesurez 1 litre de bouillon de cuisson, en ajoutant un peu d'eau si nécessaire

3 Mettez le beurre dans une grande cocotte et faites-le fondre à feu modéré. Ajoutez les légumes émincés et cuisez-les, en remuant souvent, jusqu'à ce qu'ils soient tendres mais non colorés. Retirez les légumes et égouttez-les, puis essuyez la cocotte avec du papier absorbant. Remettez les légumes dans la cocotte, ajoutez les morceaux de viande réservés et mélangez le tout avec l'orge et les petits pois. Versez le litre de bouillon et portez à ébullition. Réduisez le feu, cuisez 30 minutes à petit bouillon, en écumant souvent. Assaisonnez à votre goût et servez la soupe parsemée de persil ou de cerfeuil.

Crème de céleri au roquefort

Le céleri-rave cuit, avec son petit goût de noisette, semble bien avoir été conçu pour cet heureux mariage avec le roquefort.

Préparation ***5 minutes***
Cuisson ***40 minutes***
Pour 4 personnes

1 cuiller à soupe 1/2 d'huile d'olive ou 30 g de beurre
1 oignon émincé
200 g de céleri-rave épluché et finement tranché
100 g de roquefort
Cresson frais pour décorer

1 Dans une cocotte, faites fondre le beurre pour y mettre l'oignon. Couvrez et faites revenir doucement l'oignon jusqu'à ce qu'il soit transparent. Ajoutez le céleri et 1 litre d'eau, couvrez et portez à ébullition. Réduisez le feu et faites cuire le céleri environ 30 minutes, jusqu'à ce qu'il soit tendre.
2 Ajoutez 75 g de roquefort et passez la soupe au mixeur. Versez la soupe dans une casserole propre et réchauffez-la doucement. Assaisonnez de sel et de poivre noir du moulin. Prenez garde à ne pas trop saler car le roquefort est lui-même assez salé.
3 Servez en émiettant le roquefort restant à la surface de la soupe. Garnissez la soupière ou les assiettes à soupe de quelques feuilles de cresson frais et de poivre noir du moulin.

Conseil du chef Le céleri a tendance à brunir à l'air libre, une fois épluché. Si vous le préparez à l'avance, plongez-le dans de l'eau additionnée de jus de citron.

Bortsch

Il existe plusieurs versions de cette fameuse soupe d'origine ukrainienne, dont le premier attrait est sa belle couleur rouge, due à son principal ingrédient, la betterave. Outre le fait d'être rouge et nourrissant, le bortsch est délicieux.

Préparation ***40 minutes***
Cuisson ***45 minutes***
Pour 6 personnes

3 litres d'eau
1 cuiller à soupe de concentré de tomate
500 g de betterave crue, coupée en julienne (voir Conseil du chef)
1 carotte, coupée en julienne
125 g de panais, coupés en julienne
4 tiges de céleri, coupées en julienne
1 oignon, finement haché
2 gousses d'ail
350 g de chou vert, grossièrement haché
6 tomates mûres
30 g de persil frais, finement haché
60 g de farine
125 ml de crème fraîche

1 Faites bouillir 3 litres d'eau dans un faitout. Assaisonnez de sel et de poivre noir du moulin. Délayez le concentré de tomate dans l'eau avant d'y plonger la betterave, la carotte, les panais et le céleri. Faites cuire à feu doux environ 15 minutes. Ajoutez l'oignon, l'ail et le chou haché et poursuivez la cuisson 15 minutes.

2 Faites une petite entaille à la base des tomates, plongez-les dans l'eau bouillante 10 secondes, puis mettez-les aussitôt dans de l'eau froide. Enlevez leur peau, coupez-les en deux, épépinez-les et hachez-les grossièrement.

3 Rectifiez l'assaisonnement de la soupe avant d'y ajouter les tomates. Faites cuire encore 5 minutes et incorporez le persil. Délayez la farine dans la crème fraîche, puis versez le mélange dans la soupe pour l'épaissir, à feu doux. Veillez à ce que la farine soit bien absorbée.

4 Vérifiez à nouveau votre assaisonnement. Éventuellement, ajoutez un peu de sel et de sucre. Le bortsch doit être très légèrement épicé, un peu sucré mais sans excès. Sa saveur est plus prononcée si on le cuisine la veille pour le réchauffer le lendemain, juste avant de servir.

Conseil du chef Les légumes en julienne sont coupés en fins bâtonnets de la taille d'une allumette. Un moulin à julienne vous sera très utile pour obtenir des bâtonnets de taille égale.

Bisque de crevettes

La bisque est à l'origine une purée de homard, épaissie avec du pain. Cette version est un velouté à base de crevettes, enrichi de crème liquide, onctueux et raffiné.

Préparation **35 minutes**
Cuisson **1 heure**
Pour 6 personnes

600 g de petites crevettes cuites, non décortiquées
30 g de beurre, pour la cuisson
1 petite carotte, hachée
1/2 petit oignon, haché
1 tige de céleri, hachée
1/2 poireau, haché
1 cuiller à soupe de cognac
1 cuiller à soupe de concentré de tomate
2 tomates mûres, coupées en morceaux
3 brins d'estragon frais
Bouquet garni (voir page 63)
150 ml de vin blanc sec
350 ml de fumet de poisson (voir page 62)
300 ml de crème liquide
Petite pincée de poivre de Cayenne
40 g de beurre, rafraîchi, coupé en dés
1 cuiller à café de farine de riz (facultatif)
Feuilles d'aneth frais, hachées, pour décorer

1 Réservez 18 crevettes entières pour la décoration. Hachez grossièrement le reste des crevettes avec leur carapace.

2 Prenez une grande casserole pour faire revenir la carotte, l'oignon et le céleri dans le beurre, à feu doux. Couvrez et laissez fondre sans rissoler. Ajoutez les crevettes hachées avec leur carapace et faites cuire doucement environ 5 minutes. Arrosez avec le cognac et faites bouillir, en raclant le fond de la casserole avec une cuiller en bois pour décoller les sucs qui pourraient attacher. Laissez réduire le jus. Ajoutez le concentré de tomate, les tomates coupées et l'estragon. Faites cuire environ 30 secondes sans cesser de remuer, puis ajoutez le bouquet garni. Incorporez le vin blanc et laissez réduire le jus jusqu'à la consistance d'un sirop avant d'ajouter le fumet de poisson et la crème liquide. Portez à ébullition, réduisez le feu, couvrez et continuez la cuisson à feu doux 15 à 18 minutes.

3 Remuez vigoureusement puis passez le potage au chinois. Ajoutez sel et poivre de Cayenne si nécessaire. Incorporez les petits morceaux de beurre froid, en faisant tourner la casserole jusqu'à ce qu'ils aient fondu. Le potage se met à épaissir, grâce à l'émulsion formée par l'ajout de beurre.

4 Si la bisque n'est pas assez dense, délayez la farine de riz dans un peu d'eau et incorporez-la progressivement en battant bien, jusqu'à l'obtention de la consistance désirée. Si, au contraire, la bisque et trop épaisse, éclaircissez-la en rajoutant un peu de fumet de poisson.

5 Répartissez les crevettes réservées dans six bols ou six assiettes à soupe. Versez la bisque sur les crevettes et décorez avec les feuilles d'aneth frais hachées.

Crème d'ail et croûtons aux olives

Les soupes à l'ail sont courantes dans presque tous les pays de la Méditerranée.
Quant aux croûtons aux olives qui agrémentent celle-ci, ils s'adaptent merveilleusement à tous les potages en crème.

Préparation ***20 minutes***
Cuisson ***45 minutes***
Pour 4 personnes

90 g de beurre
Gousses détachées de 2 têtes d'ail, épluchées
2 oignons, finement hachés
300 g de pommes de terre farineuses, coupées en dés
500 ml de lait
500 ml de bouillon de volaille (voir page 62) ou d'eau

CROÛTONS AUX OLIVES NOIRES
4 tranches de pain (baguette)
100 g d'olives noires, dénoyautées et finement hachées
50 ml d'huile d'olive

1 Faites fondre à feu modéré 30 g de beurre dans une casserole moyenne. Ajoutez les gousses d'ail et faites-les revenir pendant 5 à 7 minutes, jusqu'à ce qu'elles commencent à dorer. Ajoutez l'oignon, cuisez-le 2 à 3 minutes puis ajoutez les pommes de terre et les 60 g de beurre restant. Poursuivez la cuisson 7 à 10 minutes, jusqu'à ce que les oignons deviennent tendres. Remuez souvent car les pommes de terre, étant farineuses, risquent d'attacher au fond de la casserole. Versez le lait et le bouillon ou l'eau, cuisez à feu doux pendant 15 minutes, jusqu'à ce que les pommes de terre soient bien moelleuses.

2 Passez la soupe en plusieurs fois au presse-purée ou au mixeur. Remettez-la dans la casserole rincée et assaisonnez à votre goût de sel et de poivre noir du moulin. Couvrez et réservez la soupe au chaud.

3 Pour faire les croûtons aux olives noires, grillez les quatre tranches de pain jusqu'à ce qu'elles soient bien dorées des deux côtés. Dans un bol, mélangez les olives hachées et l'huile d'olive pour en faire une pâte légère. Salez ou poivrez à votre goût et étalez cette pâte d'olives sur les croûtons chauds.

4 Versez la crème d'ail chaude dans des bols, servis avec les croûtons grillés aux olives.

Soupe thaïlandaise aux langoustines

Cette soupe très populaire en Thaïlande offre un subtil éventail de saveurs épicées, complémentaires au petit goût de coco, caractéristique des curries thaïlandais. La soupe sera moins piquante si vous faites bouillir les piments.

Préparation **30 minutes**
Cuisson **20 minutes**
Pour 4 personnes

500 g de langoustines crues, non décortiquées
2 cuillers à soupe d'huile végétale de votre choix
2 à 3 tiges de lemon-grass (seulement le blanc), coupées en morceaux de 2 cm et écrasées avec le plat d'un couteau
1 cuiller à soupe de gingembre frais, râpé
3 gousses d'ail
2 brins de coriandre fraîche, grossièrement hachés
4 grains de poivre noir
2 petits piments rouges
2 petits piments verts
4 feuilles de citron vert, ciselées
2 oignons nouveaux, émincés
1 cuiller à soupe 1/2 de sauce de poisson (nam pla)
1 cuiller à soupe 1/2 de jus de citron vert
Feuilles de coriandre fraîche, pour décorer

1 Décortiquez les langoustines et enlevez-leur la veine ventrale, mais laissez intacte la queue. Réservez les têtes et les carapaces. Couvrez et mettez les langoustines au réfrigérateur. Rincez les têtes et les carapaces, puis essuyez-les bien.
2 Faites chauffez l'huile dans une sauteuse ou un wok, mettez-y les carapaces et les têtes des langoustines, les tiges de lemon-grass et le gingembre, puis faites frire à feu vif pendant 3 à 4 minutes. Ajoutez 1,5 litre d'eau et portez à ébullition, en écumant la surface continuellement. Réduisez le feu, couvrez et faites bouillonner 10 minutes. Passez la soupe au chinois. Jetez les carapaces et les têtes des langoustines, ainsi que les aromates. Versez le liquide dans une cocotte et réservez.
3 En vous servant d'un mortier et d'un pilon, ou d'un bol solide et de l'extrémité ronde d'un rouleau à pâtisserie, pilez l'ail, la coriandre et les grains de poivre jusqu'à l'obtention d'une pâte onctueuse.
4 Fendez les piments dans leur longueur, enlevez les graines et découpez-les en fines lanières. Mettez des gants pour ne pas risquer de vous brûler au contact de ces piments, très piquants.
5 Refaites bouillir le potage, puis incorporez la pâte d'ail, de coriandre et de poivre avec les feuilles de citron vert, l'oignon vert et les langoustines. Laissez cuire 3 à 4 minutes, jusqu'à ce que les langoustines deviennent roses et opaques. Hors du feu, ajoutez les piments verts et rouges coupés en lanières, le fumet de poisson et le jus de citron vert. Vérifiez l'assaisonnement, puis servez en décorant les bols de feuilles de coriandre.

Crème de champignons

Ce potage mélange des champignons de cueillette et des champignons de culture, ce qui lui confère ce goût profond et riche. Une grande variété de champignons sauvages est maintenant disponible sur les marchés.

Préparation ***20 minutes***
Cuisson ***30 minutes***
Pour 6 personnes

200 g de champignons sauvages de votre choix ou selon le marché : girolles ou cèpes
300 g de champignons de Paris
30 g de beurre
4 échalotes, finement hachées
500 ml de bouillon de volaille (voir page 62)
300 ml de crème liquide
5 à 6 brins de cerfeuil frais
30 g de beurre rafraîchi, coupé en petits dés
60 ml de crème liquide, à fouetter

1 Mettez les champignons sauvages dans une passoire et secouez la passoire pour faire tomber le maximum de sable ou de terre. Nettoyez tous les champignons, coupez-en la partie sableuse, lavez-les soigneusement sans les laisser tremper dans l'eau, épongez-les sur du papier absorbant avant de les détailler en fines lamelles.
2 Faites revenir les échalotes dans le beurre chaud, à feu doux, pendant 1 à 2 minutes. Unissez les champignons dans la casserole, couvrez et cuisez 2 à 3 minutes. Versez le bouillon de volaille et la crème liquide, salez, poivrez. Ajoutez 3 ou 4 brins de cerfeuil et laissez frémir 12 à 15 minutes.
3 Passez le potage au mixeur ou au moulin à légumes, filtrez-le avant de le verser dans une casserole pour le réchauffer à feu doux. Ajoutez les petits morceaux de beurre et remuez la casserole jusqu'à ce qu'ils aient fondu dans le potage. Goûtez pour rectifier l'assaisonnement de sel ou de poivre noir du moulin.
4 Dans un bol, battez la crème liquide en neige souple, salez légèrement, poivrez.
5 Versez le potage dans des bols. En vous servant de deux cuillers à café, faites glisser dans chaque bol une cuillerée bien bombée de crème fouettée, de façon à la faire flotter au milieu du potage. Décorez avec le cerfeuil restant.

Conseil du chef Si vous n'avez pas trouvé des champignons de cueillette, utilisez des champignons secs, mais faites-les tremper toute une nuit dans de l'eau froide. Le liquide de trempage est excellent et, une fois soigneusement filtré, pourra être additionné au bouillon de volaille de cette recette ou parfumer un ragoût.

Potage de saumon fumé à la crème de citron vert

Au moment des fêtes de fin d'année, vous trouverez plus facilement des saumons fumés entiers chez un traiteur. Faites-vous débiter des darnes avec l'arête centrale et la peau, qui vous serviront pour ce potage, extrêmement raffiné.

Préparation ***30 minutes***
Cuisson ***1 heure***
Pour 8 personnes

30 g de beurre
1 oignon, finement haché
3 échalotes, finement hachées
1/2 bulbe de fenouil, finement haché
1 tige de céleri, finement hachée
1 poireau, finement haché
1 carotte, finement hachée
750 g de darnes de saumon fumé (avec peau et arête)
375 ml de vin blanc sec
Bouquet garni (voir page 63)
10 grains de poivre blanc
1 graine d'anis étoilé
1 cuiller à soupe de cerfeuil ou de persil, haché
1,8 litre de fumet de poisson (voir page 62) ou d'eau
150 ml de crème fraîche épaisse
Ciboulette hachée, pour décorer
50 g de saumon fumé en tranches fines, pour décorer

CRÈME FOUETTÉE AU CITRON VERT
150 ml de crème liquide, à fouetter
Zeste d'un citron vert, finement râpé

1 Faites revenir l'oignon, les échalotes, le fenouil, le céleri, le poireau et la carotte dans le beurre chaud, à feu modéré et sans cesser de remuer pendant 10 minutes, jusqu'à ce que les légumes s'attendrissent, mais sans qu'ils prennent couleur. Retirez la moitié de ces légumes et réservez-les.

2 Ajoutez les darnes de saumon en morceaux dans la casserole et cuisez-les doucement 2 minutes, sans les colorer. Versez le vin blanc, ajoutez le bouquet garni, assaisonnez de sel et de poivre noir du moulin. Portez à ébullition, faites réduire de moitié le liquide, puis ajoutez le fumet de poisson. Réduisez le feu et laissez frémir 25 minutes, en écumant fréquemment la surface. Filtrez au travers d'un chinois et éliminez les morceaux de saumon, les légumes et les aromates.

3 Transférez le liquide dans une casserole, ajoutez les légumes que vous aviez réservés et cuisez à feu moyen 10 minutes. Filtrez à nouveau, en éliminant les légumes, remettez le potage dans la casserole et incorporez la crème fraîche. Goûtez pour rectifier l'assaisonnement de sel et de poivre et réservez le potage au chaud.

4 Battez la crème liquide dans un bol pour la faire monter en neige légère, ajoutez le zeste râpé de citron vert et mélangez délicatement.

5 Servez le potage chaud ou froid dans des bols, parsemés de ciboulette hachée. Versez au milieu de chaque bol une cuillerée de crème fouettée au citron vert et garnissez d'une fine tranche de saumon enroulée.

Crème de légumes

Vous pouvez varier les légumes de ce potage au fil des saisons. Nous vous donnons ici une version hivernale, assez dense. Plus printanière, elle sera tout aussi

Préparation ***15 minutes***
Cuisson ***1 heure***
Pour 6 personnes

100 g de beurre
300 g de pommes de terre, coupées en dés
1 carotte, coupée en dés
1/2 oignon, coupé en dés
Blancs de 2 petits poireaux, finement émincés
1 tige de céleri, finement émincée
Bouquet garni (voir page 63)
200 ml de crème liquide
Cerfeuil ou persil frais, haché, pour décorer

1 Dans une cocotte couverte, faites fondre les légumes à petit feu dans le beurre chaud, jusqu'à ce qu'ils s'attendrissent. Ajoutez le bouquet garni. Versez 1,5 litre d'eau, portez à ébullition, réduisez le feu et laissez frémir 30 minutes. Retirez et jetez le bouquet garni.
2 Broyez les légumes au moulin à légumes ou au mixeur, en plusieurs fois. Filtrez la purée de légumes, qui doit être parfaitement lisse et homogène. Versez-la dans une casserole et faites cuire à feu doux pendant 10 minutes.
3 Ajoutez la crème liquide et assaisonnez de sel et de poivre. Servez très chaud dans des assiettes ou des bols parsemés de cerfeuil ou de persil haché. Accompagnez de croûtons grillés.

Soupe de Singapour

Traditionnellement, ce sont les nouilles fraîches de Singapour qui entrent dans la composition de ce merveilleux potage au poulet, épicé et crémeux. Le vermicelle chinois utilisé ici est naturellement plus facile à trouver.

Préparation ***25 minutes***
Cuisson ***35 minutes***
Pour 4 personnes

18 crevettes de taille moyenne, cuites, non décortiquées
4 échalotes chinoises, hachées
3 gousses d'ail, hachées
5 piments secs, hachés
Blancs de 2 tiges de lemon-grass, émincés
3 cuillers à café de curcuma moulu
1 cuiller à soupe de beurre de crevettes
1/2 cuiller à café de coriandre moulue
1 litre de lait de coco
2 cuillers à soupe d'huile
2 cuillers à soupe de sucre
500 g de blancs de poulet
250 ml de bouillon de volaille (voir page 62)
250 g de vermicelle chinois sec
Feuilles de menthe entières, ou ciselées, pour décorer
1 oignon nouveau, émincé, pour décorer
1 piment rouge épépiné, finement émincé, pour décorer

1 Décortiquez les crevettes et retirez leur veine ventrale. Couvrez-les et réservez-les au réfrigérateur.

2 Passez les échalotes et l'ail au mixeur ou à la moulinette pour les réduire en purée. Ajoutez les piments secs, le lemon-grass, le safran, le beurre de crevettes, la coriandre et 60 ml de lait de coco. Mixez tous les ingrédients en une pâte onctueuse.

3 Versez cette pâte dans l'huile chaude et faites-la frire pendant 1 minute, en remuant continuellement, jusqu'à ce qu'elle soit odorante. Ajoutez 300 ml d'eau, le lait de coco restant, le sucre et 1 cuiller à café de sel. Remuez bien jusqu'à ce que le mélange bouillonne. Réduisez le feu et laissez frémir doucement pendant 10 minutes.

4 Faites pocher les blancs de poulet en les plongeant dans une petite casserole avec juste assez de bouillon de volaille pour les recouvrir. Couvrez la casserole et laissez bouillonner 8 minutes. Débitez le poulet en dés quand sa cuisson est terminée.

5 Pendant que le poulet cuit, faites bouillir l'eau salée dans une grande casserole. Brisez le vermicelle entre vos mains avant de le plonger dans l'eau bouillante et cuisez-le environ 7 minutes, jusqu'à ce qu'il soit *al dente*. Égouttez-le et rincez-le à l'eau chaude pour éliminer son amidon et empêcher ainsi qu'il ne se colle. Ne le laissez pas refroidir complètement.

6 Répartissez le vermicelle, les crevettes et les petits morceaux de poulet dans quatre bols et versez la soupe chaude par-dessus. Disposez quelques feuilles de menthe, l'oignon nouveau émincé et le piment haché sur chaque bol et servez aussitôt.

LE CO

Crème de petits pois à la menthe avec croûtons

Les petits pois et la menthe font traditionnellement bon ménage.
Leur entente parfaite est merveilleusement confirmée dans ce potage velouté.

Préparation **25 minutes**
Cuisson **40 minutes**
Pour 4 personnes

1 petit cœur de laitue, grossièrement haché
2 petits oignons nouveaux ou 1 oignon moyen, émincés
450 g de petits pois surgelés, décongelés
1 à 2 brins de menthe fraîche
1,2 litre de bouillon de volaille (voir page 62)
4 tranches de pain
Huile, pour la cuisson
30 g de beurre
30 g de farine
150 ml de crème liquide

1 Mettez le petit cœur de laitue haché, les petits oignons et les petits pois dans une grande casserole avec la menthe. Versez dessus le bouillon de volaille et portez à ébullition. Réduisez le feu et laissez frémir pendant 25 minutes. Passez les légumes au presse-purée ou au mixeur, en plusieurs fois, puis filtrez la purée au chinois.

2 Pendant le temps de cuisson des légumes, coupez les tranches de pain en petits cubes et faites-les frire dans l'huile chaude jusqu'à ce qu'ils soient légèrement rissolés. Retournez-les pour qu'ils dorent uniformément. Sortez les croûtons de l'huile et essuyez-les sur du papier absorbant avant de les saler, pendant qu'ils sont encore chauds. Le sel leur donne du goût mais leur permet aussi de rester croustillants.

3 Dans une grande casserole, faites fondre le beurre à feu doux et incorporez la farine en remuant bien. Ne faites pas brunir ce roux blanc. Hors du feu, incorporez le potage en purée et mélangez bien. Replacez la casserole sur le feu, modéré ou même doux, et portez lentement à ébullition, en remuant sans arrêt. Ajoutez la crème liquide et assaisonnez de sel et de poivre. Servez dans des bols sur les croûtons.

Conseil du chef La crème liquide est facultative mais vous pouvez aussi la fouetter légèrement avant d'en faire glisser une cuillerée dans chaque bol.

Soupe de poisson

Il existe de nombreuses variantes de ces merveilleuses soupes à base de poissons frais, cuisinés au vin blanc et aux herbes. Celle-ci est légère, mais la richesse de son goût est étonnante.

Préparation **30 minutes**
Cuisson **1 heure**
Pour 6 personnes

400 g de filets d'1 dorade
600 g de filets de 4 mulets
400 g de filets de 2 grondins rouges ou de 2 truites saumonées
500 g de filets de congre ou de grenadier (voir Conseil du chef)
50 ml d'huile d'olive
1 petite carotte, finement hachée
1/2 petit oignon, finement haché
1/2 poireau, coupé en dés de 2 cm
3 gousses d'ail, hachées
2 brins de thym
1 feuille de laurier
1 cuiller à soupe de concentré de tomate
80 g de persil frais, haché
4 tomates, coupées en quatre et épépinées
200 ml de vin blanc sec
3 cuillers à soupe de cognac
200 ml de crème liquide
2 grosses pincées de poivre de Cayenne
2 grosses pincées de stigmates de safran

1 Rincez abondamment les filets de poisson à l'eau courante. Essuyez-les en les posant sur du papier absorbant et découpez-les en dés de 3 à 5 cm. Couvrez et réservez au réfrigérateur.

2 Dans l'huile chaude, faites revenir à feu doux la carotte, l'oignon, le poireau et l'ail pendant 5 minutes. Ajoutez le thym, la feuille de laurier et le concentré de tomate. Mélangez bien, faites cuire environ 5 minutes. Incorporez les morceaux de poisson et prolongez la cuisson de 5 minutes. Versez 2 litres d'eau, ajoutez le persil haché et les tomates. Laissez frémir pendant 30 minutes. Incorporez le vin blanc et le cognac et remuez à feu doux encore 2 minutes environ.

3 Passez le tout au chinois et pressez bien pour extraire tous les sucs de la préparation. Éliminez les morceaux de poisson, les légumes et les herbes aromatiques. Versez le liquide recueilli au travers du chinois dans une casserole et réchauffez lentement à feu doux. Ajoutez la crème liquide, le poivre de Cayenne, le safran, puis assaisonnez la soupe de sel et de poivre noir du moulin. Faites cuire doucement 5 minutes. Servez dans une soupière saupoudrée de poivre noir du moulin.

Conseil du chef Votre poissonnier peut préparer lui-même les poissons, c'est-à-dire les écailler, les vider, enlever têtes et arêtes, prélever les filets dont vous avez besoin. Avec les déchets, vous ferez un délicieux fumet de poisson.

Si une espèce de poisson manque à l'étal, doublez la quantité d'un des autres poissons de la recette.

Crème d'asperges

L'asperge est l'un des légumes les plus délicieux du printemps. Si bien que cette crème, pourtant toute simple, est un présent des dieux. Elle peut être servie chaude ou froide.

Préparation **15 minutes**
Cuisson **20 minutes**
Pour 4 personnes

800 g d'asperges vertes ou blanches
500 ml de bouillon de volaille (voir page 62)
265 ml de crème fraîche liquide ou épaisse
Pincée de sucre
1 cuiller à soupe de Maïzena ou de fécule de pomme de terre
1 à 2 cuillers à soupe d'eau ou de lait
2 cuillers à soupe de cerfeuil frais, haché, pour décorer

1 Avec un couteau éplucheur, pelez les asperges, des pointes vers le bas, et ôtez la partie fibreuse. Lavez-les et égouttez-les. Coupez les pointes d'asperges à 3 cm du haut et mettez-les de côté. Débitez les tiges en minces rondelles. Plongez les pointes d'asperges dans un faitout d'eau bouillante salée et faites-les blanchir rapidement, environ 2 minutes. Égouttez-les puis trempez-les dans un bol d'eau glacée pour arrêter la cuisson.

2 Dans une grande casserole, unissez le bouillon de volaille, 250 ml de crème fraîche et le sucre. Salez et poivrez légèrement puis portez à ébullition pour y faire cuire les tiges d'asperges émincées pendant 10 minutes, à feu modéré.

3 Broyez les asperges au mixeur ou au presse-légumes, puis filtrez la purée d'asperges au travers d'un chinois. Réchauffez la purée filtrée dans une casserole. Mélangez la Maïzena ou la fécule dans un peu d'eau ou de lait pour obtenir une pâte homogène. Délayez avec un peu de purée d'asperges chaude puis reversez cette pâte dans la casserole. Faites bouillir en remuant sans arrêt. Ce procédé permet d'épaissir un liquide chaud, sans pour autant former des grumeaux. Goûtez pour rectifier l'assaisonnement de sel ou de poivre noir du moulin.

4 Versez la crème d'asperges dans des bols ou des assiettes à soupe. Faites glisser une cuillerée de crème fraîche au milieu, garnissez de quelques pointes d'asperges flottantes et parsemez de cerfeuil haché.

Gaspacho

Une recette exquise, dont le goût relevé nous vient d'Andalousie.
Potage des jours chauds de plein été, le gaspacho se sert impérativement glacé.

Préparation ***35 minutes + 2 heures de réfrigération***
Cuisson ***Aucune***
Pour 6 à 8 personnes

75 g de mie de pain frais, émiettée
30 ml de vinaigre de vin rouge
2 gousses d'ail
2 concombres, non épluchés et hachés grossièrement
1 oignon, haché
1/2 poivron vert, grossièrement haché
1,75 kg de tomates, coupées et épépinées
125 ml d'huile d'olive

GARNITURE
1/4 de concombre, non épluché
1/2 poivron vert
4 tranches de pain de campagne, sans la croûte, grillées

1 Réduisez d'abord la mie de pain en miettes fines, puis ajoutez le vinaigre, l'ail, le concombre, l'oignon, le poivron, les tomates et 1 cuiller à café de sel. Passez ces ingrédients à la moulinette ou au mixeur puis pressez-les dans un chinois.

2 Mixez à nouveau la purée filtrée en versant l'huile d'olive en mince filet. Reversez ce mélange dans un saladier et battez-le énergiquement, en incorporant l'huile progressivement.

3 Goûtez pour rectifier l'assaisonnement de sel et de poivre noir du moulin. Vous pouvez mettre un peu plus de vinaigre pour apporter une note rafraîchissante supplémentaire au gaspacho. Si la consistance est trop dense, ajoutez un peu d'eau. Couvrez avec un double film alimentaire et mettez au réfrigérateur au moins 2 heures.

4 Pour faire la garniture, coupez le quart de concombre dans le sens de la longueur et servez-vous de la pointe d'une cuiller pour enlever les graines. Coupez le concombre, le poivron et le pain en petits dés. Faire frire les petits croûtons de pain dans de l'huile d'olive.

5 Versez le potage dans des bols rafraîchis. Servez en disposant près de chaque convive des petites coupes remplies de concombre, de poivron coupés en dés et de croûtons frits.

Conseil du chef Au moment de servir, vous pouvez ajouter un glaçon dans chaque bol ou assiette. Pour une garniture plus colorée, mélangez des petits dés de poivron rouge et de poivron vert. Cuisiné la veille, le gaspacho n'en sera que meilleur, mais couvrez-le bien pour que son parfum prononcé n'envahisse pas les autres aliments dans le réfrigérateur.

Velouté de poulet

Ce potage onctueux, à base de bouillon de volaille, est facile et rapide à faire. Il sera encore meilleur si vous avez fait vous-même votre bouillon. Pour cela, référez-vous aux tours de main du chef, présentés à la fin du livre.

Préparation ***10 minutes***
Cuisson ***50 minutes***
Pour 6 personnes

1 poireau, grossièrement haché
1 petite carotte, grossièrement hachée
1 petit oignon, grossièrement haché
1 tige de céleri, grossièrement hachée
400 g d'ailerons de poulet
2 brins d'estragon frais
Bouquet garni (voir page 63)
6 grains de poivre noir
1 clou de girofle
35 g de beurre
35 g de farine
250 ml de crème liquide
1 blanc de poulet
Quelques brins d'estragon frais, pour décorer
2 jaunes d'œufs

1 Unissez le poireau, la carotte, l'oignon, le céleri, les ailerons de poulet, l'estragon, le bouquet garni, les grains de poivre, le clou de girofle dans un faitout. Couvrez avec 1,5 litre d'eau et portez à ébullition, puis réduisez le feu et laissez frémir de 30 à 35 minutes. Écumez souvent en vue d'obtenir un bouillon clair.

2 Passez le bouillon au travers d'un chinois et mesurez environ 1 litre de liquide, en mettant de côté ce qui reste. Dans une casserole moyenne, faites fondre le beurre, unissez la farine et faites cuire doucement, en remuant sans arrêt ce roux blanc pendant 1 minute, jusqu'à ce que le beurre et la farine forment une pâte homogène. Hors du feu, versez en plusieurs fois le litre de bouillon chaud sur cette pâte, tout en remuant bien pour la délayer entre chaque addition. Remettez sur le feu et faites chauffer, tout en continuant à bien remuer, jusqu'à ce que le velouté se mette à bouillir et épaississe. Incorporez 200 ml de crème liquide et portez à nouveau à ébullition. Rectifiez l'assaisonnement de sel et de poivre.

3 Cuisez le blanc de poulet pendant 8 minutes dans le bouillon que vous aviez réservé. Égouttez-le puis découpez-le en petits dés. Enlevez les feuilles des brins d'estragon restants et plongez-les 30 secondes dans de l'eau bouillante salée. Égouttez-les. Mélangez les jaunes d'œufs avec le reste de crème et unissez-les au velouté. Ne faites pas bouillir. Ajoutez les petits dés de poulet, parsemez le potage avec les feuilles d'estragon et saupoudrez de poivre noir du moulin.

Consommé de légumes au safran

Ce consommé végétarien est non seulement beau à voir mais exquis à boire car très léger, pour des convives qui veulent garder la ligne.

Préparation ***30 minutes***
Cuisson ***1 heure 5 minutes***
Pour 6 personnes

BOUILLON DE LÉGUMES
1 oignon, grossièrement haché
1 carotte, grossièrement hachée
1 tige de céleri, grossièrement hachée
1/2 bulbe de fenouil, grossièrement haché
1 poireau, grossièrement haché
80 g de champignons de Paris, hachés
2 tomates mûres, épépinées et hachées
2 gousses d'ail, coupées en deux
6 grains de poivre blanc
Petite pincée de noix de muscade râpée
1 cuiller à soupe de zeste d'orange, finement râpé
Bouquet garni (voir page 63)

2 grosses pincées de stigmates de safran
1 tomate mûre
1/2 petit poireau, coupé en julienne (voir Conseil du chef)
1/2 petite carotte, coupée en julienne
1/2 tige de céleri, coupée en julienne
6 œufs de caille
Ciboulette fraîche hachée et cerfeuil, pour décorer

1 Pour faire le bouillon de légumes, mettez les légumes dans un faitout avec 1,5 litre d'eau. Ajoutez l'ail, les grains de poivre, la noix de muscade, le zeste d'orange, le bouquet garni et une grosse pincée de sel. Portez à ébullition, couvrez, réduisez le feu et laissez frémir 45 minutes.

2 Égouttez au travers d'une passoire métallique et éliminez les légumes et les aromates. Mesurez 1 litre de bouillon, en ajoutant un peu d'eau si nécessaire, puis versez dans une grande casserole. Ajoutez le safran et réservez.

3 Faites une entaille à la base de la tomate avant de la plonger dans l'eau bouillante, pendant 10 secondes. Mettez-la ensuite dans de l'eau glacée et épluchez-la. Coupez-la en deux, épépinez-la et coupez-la en fines rondelles.

4 Plongez le poireau, la carotte et le céleri hachés dans une casserole d'eau bouillante salée. Cuisez 5 minutes jusqu'à ce que les légumes soient tendres, puis égouttez. Ajoutez-les au bouillon réservé avec la tomate coupée et assaisonnez à votre goût. Réchauffez sans faire bouillir.

5 Plongez les œufs de caille dans une petite casserole d'eau bouillante et faites-les cuire 3 à 4 minutes. Enlevez les coquilles et répartissez les œufs dans chaque assiette à soupe. Versez le consommé chaud par-dessus et parsemez de ciboulette et de cerfeuil hachés.

Conseil du chef Les légumes coupés en julienne ont la forme de fins bâtonnets de la taille d'une allumette.

Soupe de poulet, lentilles et bacon

Les lentilles font merveille dans cette succulente soupe d'hiver, enrichie de volaille et de bacon. Choisissez de préférence des lentilles vertes, mais les lentilles blondes peuvent être également utilisées.

Préparation **40 minutes + 1 nuit de trempage des lentilles**
Cuisson **1 heure 40 minutes**
Pour 4 personnes

300 g de lentilles vertes
1 poulet de 1,8 kg
50 g de beurre
100 g de bacon, coupé en dés
1 carotte, coupée en rondelles
1 petit oignon, émincé
1 tige de céleri, émincée
Bouquet garni (voir page 63)
Quelques brins de persil à feuilles plates, pour décorer

1 Faites tremper les lentilles dans l'eau froide pendant une nuit, puis égouttez-les bien.
2 Enlevez la peau du poulet et prélevez les blancs pour les réserver. Découpez les ailes, les cuisses et la carcasse. Dans un grand faitout où vous aurez fait fondre le beurre, faites revenir à feu moyen le bacon, la carcasse et les morceaux de poulet, pendant 7 à 10 minutes. Dès que tous les morceaux et le bacon ont pris une belle couleur dorée, ajoutez les légumes et le bouquet garni, puis versez 3 litres d'eau froide avec les lentilles. Portez à ébullition et laissez frémir 1 heure, en écumant plusieurs fois.
3 Pendant ce temps, faites rissoler à feu modéré les blancs de poulet salés et poivrés dans une poêle, environ 5 minutes de chaque côté. Réservez et laissez refroidir.
4 Sortez les morceaux de poulet du faitout, en vous servant de pinces ou d'une écumoire, puis décortiquez la chair autour des os. Jetez les os. Remettez la chair décortiquée dans le faitout et faites cuire à nouveau 15 minutes. Retirez le bouquet garni, puis broyez les ingrédients en purée avec un mixeur. Versez la soupe dans une casserole et réchauffez-la à feu doux. Assaisonnez à votre goût de sel et de poivre noir du moulin.
5 Coupez les blancs de poulets en petits dés et unissez-les à la soupe jusqu'à ce qu'ils soient réchauffés. Servez dans des assiettes à soupe décorées de petits brins de persil.

Conseil du chef Vous pouvez rendre cette recette encore plus riche en incorporant quelques cuillerées de crème fraîche et quelques noix de beurre, que vous ferez fondre en remuant bien avant de servir la soupe très chaude.

Soupe aux clams

Les clams sont très appréciés sur la côte est des États-Unis où on les mange crus ou cuits le jour même. Il faut que les clams soient très frais.

Préparation ***40 minutes + 30 minutes de trempage***
Cuisson ***1 heure 15 minutes***
Pour 4 personnes

1 kg de clams
20 g de beurre
20 g de farine
500 ml de vin blanc
1 feuille de laurier
2 brins de thym frais
1 cuiller à soupe d'huile d'olive
90 g de bacon fumé, coupé en dés
1 oignon, haché
2 tiges de céleri, émincées
120 g de pommes de terre, coupées en petits dés
185 ml de crème fraîche épaisse
1 cuiller à café de feuilles de persil plat, ciselées

1 Rincez deux ou trois fois les clams à l'eau courante froide pour éliminer le plus de sable possible. Égouttez-les.
2 Faites fondre le beurre dans une sauteuse avec la farine. Cuisez ce roux blanc 3 minutes à feu doux en remuant bien avec une cuiller en bois. Réservez et laissez refroidir.
3 Dans un faitout, mettez le vin, la feuille de laurier et le thym, portez à ébullition et laissez frémir 5 minutes à feu modéré. Ajoutez les clams, couvrez et cuisez 5 à 7 minutes, jusqu'à ce qu'ils s'ouvrent. Égouttez en réservant le liquide de cuisson et éliminez les clams non ouverts. Une fois qu'ils sont refroidis, retirez les clams de leurs coquilles, hachez-les et réservez-les.
4 Filtrez le liquide de cuisson au travers d'un chinois et versez ce liquide sur le beurre manié avec la farine dans une casserole. Mélangez bien et remettez à frémir à feu doux 10 minutes, en écumant deux fois le liquide épaissi. Réservez.
5 Faites chauffer l'huile dans un faitout et mettez à revenir le bacon à feu moyen, jusqu'à ce qu'il ait pris couleur. Réduisez le feu et ajoutez l'oignon, couvrez et cuisez-le 3 minutes sans le laisser colorer. Ajoutez le céleri, cuisez-le 6 minutes, couvert, puis ajoutez les pommes de terre, couvrez et cuisez-les pendant 3 minutes. Ajoutez le liquide de cuisson épaissi, couvrez et laissez frémir 15 à 20 minutes, jusqu'à ce que les pommes de terre soient moelleuses. Incorporez les clams hachés et la crème fraîche. Remettez à frémir 5 minutes. Servez la soupe parsemée de feuilles de persil.

Conseil du chef Les coquillages contiennent toujours beaucoup de sable. Ne soyez pas avare de rinçages abondants.

Potage au potiron

La texture filandreuse de ce très gros fruit d'hiver orange, qui nous vient du continent américain, se transforme merveilleusement en potage onctueux. Ici, le lemon-grass apporte une note acide au goût très doux du potiron.

Préparation **30 minutes**
Cuisson **45 minutes**
Pour 6 personnes

750 g à 1 kg de potiron
3 grosses pommes de terre, hachées
3 grosses tomates, coupées et épépinées
Blanc d'1 tige de lemon-grass, écrasée avec le plat d'un couteau
1,2 litre de bouillon de volaille (voir page 62), de bouillon de légumes ou d'eau
1 cuiller à soupe 1/2 de riz long
Pincée de noix de muscade râpée
15 g de beurre, facultatif
3 cuillers à soupe de crème fraîche épaisse

1 En vous servant d'un couteau de cuisine pointu, découpez en cercle la calotte du potiron. À l'aide d'une grosse cuiller en métal, retirez les graines, puis raclez le plus de chair possible. Vous pouvez recouper le potiron en quartiers pour vous faciliter la tâche. Recueillez la chair jusque sous l'écorce et hachez-la grossièrement.

2 Mettez le potiron, les pommes de terre, les tomates et le lemon-grass dans un faitout rempli avec le bouillon ou l'eau. Assaisonnez de sel et de poivre. Portez à ébullition, puis réduisez le feu et faites bouillonner 25 à 30 minutes, jusqu'à ce que les pommes de terre soient moelleuses. Retirez la tige de lemon-grass.

3 Pendant la cuisson de la soupe, faites cuire le riz 12 minutes dans une casserole d'eau bouillante salée, jusqu'à ce qu'il soit tendre. Égouttez-le dans une passoire et rincez-le à l'eau courante. Réservez-le en le laissant s'égoutter.

4 Passez la soupe au mixeur pour la réduire en un potage liquide et onctueux. Reversez le potage dans une casserole, ajoutez la noix de muscade et rectifiez l'assaisonnement si nécessaire. La consistance doit être dense mais ce potage devra être consommé facilement à la cuiller. Ajoutez un peu de lait s'il vous semble trop épais. Incorporez le riz, le beurre et la crème fraîche. Réchauffez le tout et servez dans des bols ou des assiettes à soupe. Garnissez de poivre noir du moulin et de ciboulette hachée ou de feuilles de persil.

Vichyssoise

Cet onctueux potage de poireaux et de pommes de terre fut créé par un cuisinier français alors qu'il était chef à New York. Le potage se sert froid ou chaud.

Préparation **25 minutes + 2 heures de réfrigération**
Cuisson **40 minutes**
Pour 4 personnes

30 g de beurre
Blancs de 3 gros poireaux, finement émincés
1 tige de céleri, finement émincée
150 g de pommes de terre, coupées en dés
1 litre de bouillon de volaille (voir page 62)
100 ml de crème fraîche épaisse
50 ml de crème liquide, à fouetter
1 cuiller à soupe de ciboulette fraîche, hachée

1 Mettez le beurre à fondre, à feu doux, dans une grande casserole. Ajoutez les poireaux et le céleri et couvrez avec une feuille de papier sulfurisé. Cuisez les légumes sans leur faire prendre couleur et en les remuant de temps en temps, pendant 15 minutes, jusqu'à ce qu'ils soient tendres. Ajoutez les pommes de terre et le bouillon, assaisonnez de sel et de poivre noir du moulin.
2 Portez la soupe à ébullition, puis réduisez le feu et laissez frémir 15 minutes, jusqu'à ce que les pommes de terre soient bien moelleuses. Broyez la soupe au mixeur puis versez-la dans un grand saladier. Incorporez la crème fraîche, puis rectifiez l'assaisonnement de sel et de poivre. Couvrez le saladier d'un film alimentaire et placez-le au réfrigérateur pour que le potage refroidisse pendant 2 heures au moins.
3 Versez la vichyssoise dans des bols rafraîchis, si vous la servez glacée. Garnissez les bols d'une cuillerée de crème fouettée et parsemez le potage de ciboulette hachée pour décorer.

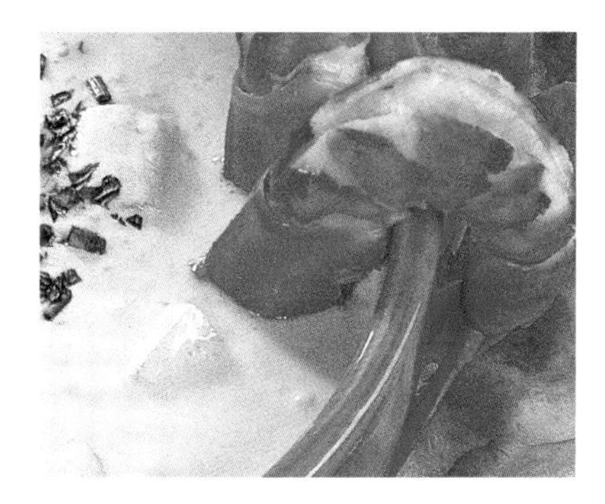

Soupe d'été au concombre et aux crevettes

Une soupe originale et rafraîchissante originaire du Moyen-Orient. Très facile à faire, elle se sert froide avec du pain pita et constitue une mise en bouche exquise pour un dîner léger.

Préparation **20 minutes + 30 minutes de repos + 2 à 3 heures de réfrigération**
Cuisson **10 minutes**
Pour 6 à 8 personnes

250 g de concombres
1 œuf, facultatif
375 ml de bouillon de volaille (voir page 62)
155 ml de jus de tomate
900 g de yaourt à la grecque
125 ml de crème liquide
60 g de crevettes cuites décortiquées, fraîches ou surgelées, grossièrement hachées
12 crevettes cuites, de taille moyenne, non décortiquées
1 gousse d'ail, écrasée
1 cuiller à café de menthe fraîche, hachée
1 cuiller à café de ciboulette fraîche, hachée

1 Épluchez les concombres et coupez-les en dés de 1 cm de côté. Posez-les sur un plat, saupoudrez-les de sel et laissez-les dégorger leur eau pendant 30 minutes environ. Rincez-les à l'eau courante froide puis essuyez-les sur du papier absorbant.

2 Faites durcir l'œuf dans une petite casserole d'eau bouillante pendant 7 minutes. Enlevez sa coquille après l'avoir plongé dans un bol d'eau glacée pour arrêter la cuisson, puis remettez l'œuf dans l'eau froide. Lorsqu'il est complètement refroidi, hachez-le grossièrement.

3 Dans un saladier ou une grande jatte, mélangez le bouillon de volaille, le jus de tomate et le yaourt. Lorsque le mélange est homogène, ajoutez les concombres, la crème liquide et les crevettes hachées. Assaisonnez de sel et de poivre noir du moulin. Couvrez et placez le saladier au réfrigérateur pendant 2 à 3 heures.

4 Pendant ce temps, décortiquez les crevettes restantes, mais sans leur enlever la tête et la queue. Retirez leur veine ventrale, placez-les dans un bol couvert et mettez-les au réfrigérateur.

5 Frottez d'ail l'intérieur des bols avant d'y verser la soupe rafraîchie et parsemez d'œuf dur haché, de menthe fraîche et de ciboulette. Accrochez 2 crevettes sur le bord de chaque bol pour décorer et servez immédiatement, avec du pain pita.

Conseil du chef Pour empêcher qu'un œuf dur continue à cuire dans sa coquille, restée très chaude, plongez l'œuf aussitôt dans un bol d'eau glacée. Le refroidissement rapide de l'œuf évite également que ne se forme une trace verdâtre ou grisâtre autour du jaune.

Potage aux pommes et aux panais

Les fruits ne sont pas réservés qu'aux desserts, spécialement les pommes qui composent ici un savoureux potage avec les panais. Pour les pommes, choisissez la variété des Granny Smith : leur acidité est parfaite pour cette recette.

Préparation ***30 minutes***
Cuisson ***40 minutes***
Pour 6 personnes

30 g de beurre
1 oignon, haché
2 tiges de céleri, hachées
5 panais, hachés
3 pommes Granny Smith, ou toute autre variété acide, épluchées et hachées
Bouquet garni (voir page 63)
1,5 litre de bouillon de volaille (voir page 62)
Quelques brins de thym frais, pour décorer
Quelques noix hachées, pour décorer

1 Faites fondre le beurre dans une casserole moyenne puis ajoutez l'oignon. Couvrez avec une feuille beurrée de papier sulfurisé et laissez cuire doucement l'oignon jusqu'à ce qu'il soit transparent. Ne le laissez pas colorer. Ajoutez le céleri, les panais et les pommes et assaisonnez de sel et de poivre. Cuisez quelques minutes, puis ajoutez le bouquet garni et mouillez avec le bouillon de volaille.

2 Portez à ébullition, puis réduisez le feu et laissez frémir pendant 25 minutes, jusqu'à ce que les légumes soient tendres. Écumez, retirez le bouquet garni, puis mixez jusqu'à obtenir un potage onctueux. Reversez le potage dans une casserole, rectifiez l'assaisonnement et réchauffez.

3 Répartissez le potage dans des bols. Parsemez quelques feuilles de thym et quelques noix hachées au milieu de chaque bol pour décorer et servez aussitôt.

Conseil du chef Une variante dans la garniture : délayez 1 cuiller à soupe de calvados dans 100 ml de crème fraîche épaisse. Faites glisser avec précaution dans le potage une cuillerée de cette crème parfumée avant de servir.

Techniques du chef

Fumet de poisson

N'utilisez pas de poissons gras comme le saumon, la truite ou le maquereau. Enlevez les yeux et les branchies.

Trempez 10 minutes 2 kg de poisson avec arêtes dans de l'eau salée. Égouttez, mettez dans une casserole avec 2,5 litres d'eau, 12 grains de poivre, 2 feuilles de laurier, 1 tige de céleri, 1 oignon (hachés) et le jus d'1 citron.

Portez à ébullition, puis réduisez le feu et laissez frémir 20 minutes. Pendant la cuisson, écumez la surface du bouillon en vous servant d'une grande cuiller.

Filtrez le bouillon en plusieurs fois au travers d'un chinois, au-dessus d'une jatte. Pressez les ingrédients solides pour en extraire tous les sucs. Mettez au réfrigérateur. Vous devez avoir obtenu 1,5 litre de fumet.

Bouillon de volaille

La saveur incomparable d'un bouillon fait chez soi est la clé du succès de bien des plats.

Mettez 750 g d'os et de carcasse dans un grand faitout avec un oignon, une carotte, une tige de céleri, le tout grossièrement haché, 6 grains de poivre et un bouquet garni. Versez dessus 4 litres d'eau froide.

Portez à ébullition et laissez frémir 2 à 3 heures, en écumant la mousse de temps en temps. Passez le bouillon au chinois et laissez-le refroidir dans un saladier. Vous avez obtenu 1,5 à 2 litres de bouillon.

Mettez le bouillon au frais pendant une nuit. Ensuite, dégraissez-le. Si vous ne pouvez pas attendre que la graisse soit figée, posez du papier absorbant en surface du bouillon pour le dégraisser au maximum.

Bouillon de bœuf

Un conseil : faire rôtir les os donne une belle couleur au bouillon et permet d'éliminer beaucoup de graisse.

Faites rôtir 1,5 kg d'os de bœuf ou de veau à four chaud, pendant 40 minutes, en y ajoutant, à mi-cuisson, 1 oignon, 2 carottes, 1 tige de céleri et 1 poireau coupés en petits morceaux.

Transvasez dans un faitout avec 4 litres d'eau, 2 cuillers à soupe de concentré de tomate, un bouquet garni et 6 grains de poivre. Laissez frémir 3 à 4 heures, en écumant souvent.

Filtrez le bouillon en plusieurs fois au travers d'un chinois. Pressez les ingrédients solides pour en extraire tout le jus puis mettez au réfrigérateur. Enlevez toute la graisse figée. Pour 1,5 à 2 litres de bouillon.

Beurre clarifié

Faire évaporer l'eau contenue dans le beurre le rend moins susceptible de brûler au fond des casseroles.

Pour faire 100 g de beurre clarifié, mettez 180 g de beurre coupé en petits cubes dans une casserole. Placez la casserole au-dessus d'un faitout d'eau bouillante, à feu doux. Laissez fondre le beurre sans le remuer.

Retirez la casserole du feu et laissez-la refroidir légèrement. Écumez la surface, en prenant soin de ne pas remuer le beurre fondu.

Verser avec précaution le liquide jaune clair dans un bocal en verre. Retenez les impuretés au fond de la casserole. Placez le bocal étroitement fermé au réfrigérateur.

Congeler le bouillon

Un bouillon peut être conservé 3 jours au réfrigérateur. Surgelé dans des bacs à glaçons, il se conserve plus de 6 mois.

Après l'avoir bien dégraissé, faites-le bouillir pour le réduire à 500 ml. Laissez refroidir puis versez ce concentré dans des bacs à glaçons pour le congeler. Ajoutez 1,5 l d'eau à ces 500 ml pour obtenir 2 litres de bouillon.

Bouquet garni

Ne manquez jamais de donner à vos plats la saveur de ces herbes aromatiques rassemblées en bouquet.

Enroulez une feuille verte de poireau autour d'une feuille de laurier, d'un brin de thym et de quelques brins de persil. Nouez-les avec une longue ficelle, pour qu'on puisse saisir le bouquet garni plus facilement.

Les remerciements de l'éditeur et *Le Cordon Bleu* s'adressent aux 32 chefs de toutes les écoles Le Cordon Bleu, notamment :
Chef Cliche (MOF), Chef Terrien, Chef Boucheret, Chef Duchêne (MOF), Chef Guillut, Chef Steneck, Paris ; Chef Males, Chef Walsh,
Chef Hardy, Londres ; Chef Chantefort, Chef Bertin, Chef Jambert, Chef Honda, Tokyo ;
Chef Salembien, Chef Boutin, Chef Harris, Sydney ; Chef Lawes, Adelaide ; Chef Guiet, Chef Denis, Ottawa.
Leur expertise a permis la réalisation du présent ouvrage.

Managing Editor : Kay Halsey
Series Concept, Design and Art Direction : Juliet Cohen

L'éditeur et *Le Cordon Bleu* remercient Carole Sweetnam pour sa contribution à la réalisation de cette série.

Titre original : Le Cordon Bleu - Home Collection – Soups

Photo de couverture : Soupe aux clams

Könemann Verlagsgesellschaft mbH
Bonner Str. 126, D 50968 Cologne

Traduction et réalisation : ACCORD, Toulouse
Lecture : Stéphanie Aurin, Ville-d'Avray
Chef de fabrication : Detlev Schaper
Impression et reliure : Sing Cheong Printing Co, Ltd.
Imprimé en Chine (Hong Kong)

ISBN 3-8290-0597-0
10 9 8 7 6 5

NOTE : Les doses indiquées en cuiller à soupe correspondent à une contenance de 20 ml. Si la cuiller à soupe a une contenance de 15 ml, la différence restera minime dans la plupart des recettes. Pour celles exigeant levure chimique, gélatine, bicarbonate de soude et farine, ajouter une cuiller à café supplémentaire pour chaque cuiller à soupe mentionnée.

IMPORTANT : Les effets causés par la salmonelle peuvent être dangereux, surtout pour les personnes âgées, les femmes enceintes, les enfants en bas âge et les personnes souffrant de déficience du système immunitaire. Il est conseillé de demander l'avis d'un médecin à propos de la consommation d'œufs crus.